CW00350017

ΣΟΛΟΜΩΝΙΔΟΥ ΦΟΥΛΒΙΑ

ΜΕΛΙΣΣΟΚΟΜΙΚΕΣ ΕΡΩΤΗΣΕΙΣ ΣΩΣΤΟΥ - ΛΑΘΟΥΣ

ΛΟΝΔΙΝΟ, 2023

akakia

ΜΕΛΙΣΣΟΚΟΜΙΚΕΣ ΕΡΩΤΗΣΕΙΣ ΣΩΣΤΟΥ - ΛΑΘΟΥΣ
Φούλβια Σολομωνίδου

ISBN UK: 978-1-915848-39-0

Δημιουργία εξωφύλλου: AKAKIA Publications

Printed by European Printers Ltd
Published by AKAKIA Publications

ΛΟΝΔΙΝΟ, Οκτώβριος 2023

PO BOX 1327 - WOODGRANGE AVENUE
EN1 9AE - ENFIELD – LONDON - ENGLAND - UK
publications@akakia.net
www.akakia.net

Στην οικογένεια μου

Ενότητες

Βιολογία μέλισσας

1. Οι μέλισσες είναι κοινωνικά έντομα του είδους Apis melifica και ανήκουν στην τάξη των Υμενοπτέρων.
2. Η μέλισσα είναι ολομετάβολο έντομο και για την ολοκλήρωση του βιολογικού κύκλου της διέρχεται από τα στάδια του αυγού, προνύμφης, νύμφης μέχρι να φτάσει στο στάδιο ενηλικίωσης.
3. Είκοσι μία μέρες μετά την κάλυψη του κελιού, η νεαρή εργάτρια βγαίνει από το κελί.
4. Τα γονιμοποιημένα ωάρια θα δώσουν τέλεια θηλυκά (βασίλισσες) ή ατελή (εργάτριες) ανάλογα με την τροφή που θα δεχτούν οι νεαρές προνύμφες.
5. Οι εργάτριες που μένουν στην κυψέλη ως την έκτη ημέρα ασχολούνται με τη φροντίδα γόνου.
6. Η ειδίκευση των εργατριών που μένουν στην κυψέλη καθορίζεται από την ηλικία αλλά περισσότερο από τις ανάγκες των μελισσών.
7. Η βασίλισσα χρειάζεται 26 ημέρες, η εργάτρια 21 και ο κηφήνας 24 ημέρες για την ολοκλήρωση του βιολογικού κύκλου.

8. Τα αγονιμοποίητα αυγά δίνουν αρσενικά άτομα (κηφήνες) ενώ τα γονιμοποιημένα θηλυκά άτομα (εργάτριες ή βασίλισσες).
9. Οι κηφήνες γεννιούνται την άνοιξη και πεθαίνουν πριν το χειμώνα.
10. Η βασίλισσα έχει κεντρί, ενώ δεν έχει κηρογόνους αδένες ούτε όργανα συλλογής και μεταφοράς γύρης.
11. Τα ορφανά μελίσσια δεν φτιάχνουν κηρήθρες παρά μονάχα όταν υπάρχουν ομάδες από πολλές χιλιάδες εργάτριες.
12. Μια ορμόνη μεταμόρφωσης, η ενδυζόνη, προκαλεί τη μεταμόρφωση σε νύμφη.
13. Στο κρίσιμο στάδιο το μελίσσι στηρίζεται στις μέλισσες που εκκολάφθηκαν το φθινόπωρο.
14. Ο περιορισμός της ωοτοκίας της βασίλισσας οφείλεται στη μείωση της φωτοπεριόδου, στην περιορισμένη ποσότητα νέκταρος γύρης που φθάνουν στην κυψέλη, στις χαμηλές θερμοκρασίες και κυρίως στο ένστικτο του μελισσιού.
15. Η βασίλισσα ωοτοκεί δύο ειδών αυγά, γονιμοποιημένα και αγονιμοποίητα. Τα αγονιμοποίητα θα δώσουν κηφήνες, ενώ τα γονιμοποιημένα θα δώσουν θηλυκά άτομα. Η διαφοροποίηση αυτή ονομάζεται διαφοροποίηση κάστας.
16. Οι προνύμφες που εξελίσσονται σε βασίλισσες τρέφονται μόνο με άφθονο βασιλικό πολτό όλες τις ημέρες διατροφής τους, ενώ οι προνύμφες που εξελίσσονται σε εργάτριες τρέφονται τις 3 πρώτες μέρες με λιγοστό βασιλικό πολτό και τις υπόλοιπες με βασιλικό πολτό, γύρη, μέλι.

17. Η διαφοροποίηση των ατόμων που ανήκουν στο ίδιο φύλο και είδος ονομάζεται διαφοροποίηση κάστας.

18. Φερομόνες είναι οι χημικές ουσίες που παράγει η βασίλισσα με τις οποίες κρατά σε συνοχή το μελίσσι, διατηρεί τη χαρακτηριστική του οργάνωση και ρυθμίζει τη λειτουργία του.

19. Πρόπολη χρησιμοποιείται για να κλείσουν διάφορες τρύπες ή ανοίγματα στη φωλιά, για να επενδυθούν εσωτερικά τα κελιά, να ενισχυθεί η κηρήθρα.

20. Υπό ειδικές συνθήκες οι μέλισσες φτιάχνουν ένα τρίτο είδος κελιών μετασχηματίζοντας κάποια από τα εργατικά κελιά μεγάλης διαμέτρου και κατακόρυφης διάταξης.

21. Παρατηρείται μια κατανομή εργασίας μεταξύ εργατριών στενά συνδεδεμένη με την ηλικία τους. Το φαινόμενο λέγεται διαχρονική κατανομή εργασίας.

22. Επικονίαση καλείται η μεταφορά της γύρης από τον ανθήρα ενός άνθους στο στίγμα του ύπερου του ίδιου ή άλλου άνθους του ίδιου είδους φυτού.

23. Η μέλισσα αντιλαμβάνεται περισσότερες κινήσεις ανά δευτερόλεπτο απ' ό,τι ο άνθρωπος και αυτό την βοηθά στην πτήση.

24. Ο κυκλικός χορός πληροφορεί ότι η πηγή τροφής είναι πολύ κοντά στη φωλιά, σε απόσταση μικρότερη των 15μ., χωρίς να δίνει στοιχεία για την ακριβή απόσταση ή την κατεύθυνση.

25. Με τον μικτό χορό οι συλλέκτριες μέλισσες δίνουν πληροφορίες για την απόσταση, την κατεύθυνση και την ποιότητα τροφής που βρίσκεται σε απόσταση μεγαλύτερη από 100 μ.

26. Ένα φαινόμενο που χαρακτηρίζει τη μέλισσα είναι η ανθική σταθερότητα, κατά το οποίο η μέλισσα επισκέπτεται ένα μόνο είδος ανθέων σε κάθε ταξίδι της, στο μέτρο πάντα του δυνατού.

27. Έχει παρατηρηθεί ότι οι μέλισσες επισκέπτονται κάποια φυτά συγκεκριμένη ώρα της ημέρας, η οποία συμπίπτει με την ώρα που το φυτό εκκρίνει το νέκταρ ή διαθέτει τη γύρη του.

28. Η πρόπολη περιέχει μια ουσία που εμποδίζει την κατασκευή των βασιλικών κελιών.

29. Οι μέλισσες μεταφέρουν τη γύρη στη φωλιά τους στη κνήμη των πίσω ποδιών.

30. Οι μέλισσες συλλέγουν γύρη σε μορφή σβώλων προκειμένου να καλύψουν τις πρωτεϊνικές τους ανάγκες.

31. Ο βασιλικός πολτός είναι προϊόν εκκρίσεων των υποφαρυγγικών αδένων των εργατριών μελισσών.

32. Μέλι είναι η φυσικά γλυκιά ουσία που παράγουν οι μέλισσες συλλέγοντας φυσικούς χυμούς.

33. Με τον τροφάλλαξη εννοούμε την ανταλλαγή τροφής μεταξύ των μελισσών, προβοσκίδα με προβοσκίδα.

34. Οι βομβίνοι είναι ημικοινωνικά έντομα και μοναχικά.

35. Κατά τη διάρκεια της τροφάλλαξης, οι μέλισσες φέρνουν σε επαφή τις κεραίες τους, με αποτέλεσμα το διασκορπισμό χημικών μηνυμάτων υπό μορφή φερομονών.

36. Οι φερομόνες της βασίλισσας αναστέλλουν την κατασκευή βασιλικών κελιών.

37. Οι καιρικές συνθήκες επηρεάζουν άμεσα τη συλλογή τροφής. Όταν η θερμοκρασία είναι μικρότερη από 12°C συνήθως οι μέλισσες δεν συλλέγουν τροφή.

38. Φερομόνη συναγερμού και επιθετικότητας έχει αναγνωρισθεί η 2- επτανόνη.

39. Τον χειμώνα, περίοδο διαχείμασης του μελισσιού, οι μέλισσες προκειμένου να διατηρήσουν την θερμοκρασία του σώματος τους στα απαραίτητα για την επιβίωσή τους επίπεδα, μαζεύονται όλες μαζί και σχηματίζουν τη μελισσόσφαιρα.

40. Είναι δυνατόν να λιμοκτονήσουν μελίσσια στη διάρκεια του χειμώνα όταν οι τροφές δεν είναι κατανεμημένες σωστά στον χώρο της κυψέλης.

41. Ομοιόσταση είναι η ικανότητα του μελισσιού να διατηρεί τη θερμοκρασία και τις άλλες περιβαλλοντικές παραμέτρους σχετικά σταθερές.

42. Η απουσία των αυγών, των προνυμφών, και των νυμφών δηλώνει την ορφάνια του μελισσιού.

43. Στα τέλη Νοεμβρίου κατά κανόνα η ωοτοκία διακόπτεται εντελώς, οπότε στο μελίσσι υπάρχουν μόνο οι ενήλικες μέλισσες και οι προμήθειες.

Σμηνουργία

1. Η σμηνουργία είναι ο φυσικός τρόπος πολλαπλασιασμού του μελισσιού, κατά τον οποίο αυτό χωρίζεται στα δύο, με την παλιά βασίλισσα να παίρνει ένα μέρος του πληθυσμού και να εγκαθίσταται σε νέα φωλιά.

2. Περίπου 8-10 μέρες μετά, μόλις το πρώτο βασιλικό κελί σφραγιστεί και βεβαιωθεί ότι το μελίσσι θα αποκτήσει νέα βασίλισσα, εκδηλώνεται η σμηνουργία.

3. Το σμήνος που φεύγει από την κυψέλη λέγεται αφεσμός.

4. Το μελίσσι από το οποίο έφυγε ο αφεσμός παραμένει χωρίς βασίλισσα (ορφανό) αλλά μόνο προσωρινά.

5. Τρόπος καταστολής της σμηνουργίας είναι η καταστροφή όλων των βασιλικών κελιών πριν αυτά σφραγισθούν.

6. Παράγοντες που οδηγούν στη σμηνουργία είναι η κληρονομική προδιάθεση, η ηλικία της βασίλισσας, η ανεπάρκεια φερομόνης της βασίλισσας και η έλλειψη χώρου στη φωλιά.

7. Συνέπειες σμηνουργίας είναι η δημιουργία μόνιμης τάσης για σμηνουργία, αδυνάτισμα μελισσιών, μεγάλη μείωση αποθεμάτων μελιού, ανεκμετάλλευτες ανοιξιάτικες ανθοφορίες, απώλεια βασίλισσας.

8. Η σμηνουργία ευνοείται από την έλλειψη χώρου, μια αργή και παρατεταμένη ανθοφορία και από μία βασίλισσα ενός χρόνου.

9. Όταν το ποσοστό των νεαρών εργατριών είναι μικρό, ευνοείται η εκδήλωση σμηνουργίας.

10. Καθ' όλη την διάρκεια του έτους οι εργάτριες χτίζουν και καταστρέφουν βάσεις βασιλικών κελιών που είναι γνωστά ως βελανίδια.

Ανατομία, μορφολογία, φυσιολογία μέλισσας

1. Οι τρεις απλοί οφθαλμοί χρησιμεύουν στην αντίληψη έντασης του πολωμένου φωτός.
2. Το μάτι της μέλισσας βλέπει το υπεριώδες όχι όμως το κόκκινο, δεν αντιδρά στις αυξομειώσεις φωτός και δεν εντοπίζει το πολωμένο φως.
3. Το γεγονός ότι η μέλισσα βλέπει το υπεριώδες φως είναι σημαντικό, γιατί τα άνθη των εντομόφιλων φυτών αντανακλούν το υπεριώδες και σχηματίζουν έναν χρωματικό οδηγό για τη μέλισσα που αναζητά νέκταρ και γύρη.
4. Η μέλισσα αντιλαμβάνεται το επίπεδο του πολωμένου φωτός και αυτό χρησιμεύει στο να βρίσκει τη θέση του ήλιου και να προσανατολίζεται ακόμα και σε συννεφιασμένη μέρα.
5. Στα Υμενόπτερα υπάρχουν είδη που ο θώρακας και η κοιλιά τους συμφύονται μεταξύ τους και ονομάζονται Σύμφυτα ή Κλειστόγαστρα.

6. Στα Απόκριτα ή χαλαστόγαστρα η κοιλιά ξεχωρίζει πολύ ευδιάκριτα από το θώρακα με τον οποίο ενώνονται με μια πολύ λεπτή μέση.

7. Χαρακτηριστικά των Υμενοπτέρων είναι περισσότερα από δέκα άρθρα στις κεραίες, δύο σύνθετα μάτια, τρία απλά μάτια και πρώτο μέρος της κοιλιάς ενσωματωμένο στον θώρακα.

8. Οι αδένες corpora allata παράγουν τη νεανική ορμόνη (juvenile hormone), η οποία σχετίζεται με τη διαφοροποίηση της κάστας.

9. Ως φερομόνες συναγερμού και επιθετικότητας έχουν αναγνωριστεί η 2-επτανόνη, η οποία εκκρίνεται από τους σιαγονικούς αδένες, και ο οξικός ισοαμυλεστέρας, ο οποίος εκκρίνεται από τον αδένα Κοστσέβνικοφ.

10. Η σημαντικότερη φερομόνη προσανατολισμού που έχει αναγνωριστεί είναι αυτή του αδένα Νασάνοφ.

11. Μια άλλη φερομόνη προσανατολισμού εκκρίνεται από τους αδένες του Άρνχαρτ.

12. Οι φερομόνες της βασίλισσας προκαλούν διέγερση των εργατριών για να συλλέξουν τροφή και γενικά να εργάζονται.

13. Η παρουσία γύρης ευνοεί την ανάπτυξη των κηρογόνων αδένων, η δραστηριότητα των οποίων παρατείνεται με την απουσία της βασίλισσας και του ασφράγιστου γόνου.

Φυλές Μελισσών

1. Η ομάδα που αντιπροσωπεύεται από την Apis αποτελεί εξέλιξη ενός είδους μέλισσας της Μέσης Ανατολής που προέρχεται από την Apis cerana και διαχωρίζεται σε τρεις κλάδους.

2. Ανάμεσα στα μορφολογικά κριτήρια συγκαταλέγονται, μεταξύ άλλων, το μέγεθος του σώματος, το χρώμα, η τριχοφυΐα, το μέγεθος της γλώσσας (προβοσκίδας) και του ωλενικού δείκτη, ο οποίος αντιστοιχεί αναλογικά στα κύτταρα των νευρώσεων των φτερών.

3. Οι βομβίνοι είναι ημικοινωνικά έντομα με προσωρινή φωλιά.

4. Η Apis florea είναι γιγάντια μέλισσα, σχηματίζει μια κηρήθρα σε ανοιχτό χώρο, είναι ελάχιστα επιθετική και έχει έντονη σμηνουργία.

5. Η Apis cerana έχει μέτριο μέγεθος σχηματίζει πολλές κηρήθρες σε κλειστό χώρο, έχει μέτρια επιθετικότητα και έντονη σμηνουργία.

6. Παραδείγματα μοναχικών μελισσών είναι εκείνες των γενών Adrena.

7. Μια βιομετρική έρευνα που έγινε στην Κορσική Μέλισσα απέδειξε ότι είναι εντελώς διαφορετική από την Ιταλική και τη Μαύρη Μέλισσα.

8. Η Apis mellifera caucasica προέρχεται από τον κλάδο που αναπτύχθηκε από τη Μέση Ανατολή προς τα δυτικά και προς τα βόρεια για να εγκατασταθεί στα βουνά του Καυκάσου μέχρι τα παράλια της Μαύρης θάλασσας. Η ράτσα αυτή μοιάζει πολύ με την Καρνιόλικη Μέλισσα.

9. Η Apis mellifera ligustica, η ιταλική μέλισσα έχει λιγότερη αίσθηση του προσανατολισμού από ότι οι άλλες ράτσες.

10. Η Apis mellifera carnica προέρχεται από τον κλάδο που αναπτύχθηκε από τη Μέση Ανατολή προς δυτικά, ανεβαίνοντας έπειτα κατά μήκος της Μεσογείου για να εγκατασταθεί στην περιοχή που εκτείνεται από τα νότια της Αυστρίας μέχρι τα βόρεια της Ελλάδας και να μεταναστεύσει προς την περιοχή της Ουγγαρίας και της Ρουμανίας.

11. Η Apis mellifera meda skorikof, έχει εξαπλωθεί στα Βόρεια του Ιράκ, ανάμεσα στην ανατολική Τουρκία και το δυτικό Ιράν, παρουσιάζει εξαιρετική ομοιότητα με την ιταλική μέλισσα, αν και είναι δύο διαφορετικές γεωγραφικές ομάδες.

12. Η μεγάλη ποικιλία μελισσών στην Αφρική συνδέεται με την ποικιλία των βιοτόπων. Ο επιθετικός χαρακτήρας και η ευκολία με την οποία οι αφρικανικές μέλισσες εγκαταλείπουν τη φωλιά τους αποθάρρυναν την υιοθέτηση σύγχρονων μεθόδων μελισσοκομίας.

13. Η καυκάσια φυλή έχει τάση για λεηλασία.
14. Η καρνιολική φυλή σμηνουργεί έντονα και αποπροσανατολίζεται συχνά.

Πεύκο

1. Το έντομο που παράγει το μελίτωμα (εργάτης) σταμάτησε να τρέφεται για να αντικαταστήσει το δέρμα του, καθώς μεγαλώνει. Το φαινόμενο ονομάζεται έκδυση και παρατηρείται κατά το δεύτερο δεκαπενθήμερο του Αυγούστου και το πρώτο του Οκτωβρίου.

2. Παράγοντες που επηρεάζουν την παραγωγή μελιτώματος είναι η ηλικία του εντόμου, η ζωτικότητα του δένδρου, οι κλιματολογικές συνθήκες και το είδος του πεύκου στο οποίο παρασιτεί το έντομο.

3. Το Marchalina hellenica (κοινώς βαμβακάδα, εργάτης, παράσιτο) παρασιτεί στα πεύκα και εκκρίνει μελίτωμα.

4. Οι μελιτώδεις εκκρίσεις συλλέγονται από τις μέλισσες, μεταποιούνται και αποθηκεύονται ως μέλι.

5. Οι περίοδοι που παράγονται οι μελιτώδεις εκκρίσεις είναι σταθερές από έτος σε έτος και μπορεί να προβλεφθούν με σχετική ακρίβεια (1/3-15/4 έντονη μελιτοέκριση).

6. Η Marchalina hellenica είναι άπτερη και έχει μια γενεά το έτος. Πολλαπλασιάζεται παρθενογενετικά. Το μητρικό άτομο παράγει 200-300 αυγά στα τέλη Αυγούστου με αρχές Μαΐου.

7. Το παράσιτο Marchalina hellenica εγκαθίσταται κατά κανόνα στις σχισμές του ξηρού φλοιού και περιβάλλεται από άσπρη κηρώδης ουσία τη βαμβακάδα, που το ίδιο εκκρίνει από το δέρμα του.

8. Η τακτική μεταφοράς των μελισσιών από αρχές Αυγούστου στο πεύκο, από εκεί στη σουσσούρα και πάλι στο πεύκο, είναι ίσως ένα ευφυές σύστημα γιατί τους δίνει τη δυνατότητα να αξιοποιήσουν και τις δύο περιόδους εκκρίσεων, δεν παύει όμως να είναι παρακινδυνευμένο.

9. Στα πευκοδάση μεταφέρονται όλα τα μελίσσια, τα οποία πρέπει να έχουν γύρη, αλλά όχι μέλι.

Ασθένειες - Εχθροί

1. Η αμερικάνικη σηψιγονία είναι μια ασθένεια του γόνου που οφείλεται σε ένα βακτήριο το Bacilus lavrae που είναι παράσιτο των προνυμφών σε όλα τα στάδια ανάπτυξης του.

2. Η αμερικανική σηψιγονία έχει το εξής χαρακτηριστικό σύμπτωμα: τρυπημένο κάλυμμα και περιεχόμενο κελιών κολλώδη καφέ πολτό.

3. Στην ευρωπαϊκή σηψιγονία το βακτήριο Melissococus pluton σχηματίζει σπόρια, τα οποία όμως δεν είναι ανθεκτικά και δεν διατηρούνται για χρόνια.

4. Συμπτώματα αμερικάνικης σηψιγονίας: το χρώμα των κηρήθρων αλλοιώνεται, γίνεται καφέ, ο γόνος είναι διάσπαρτος, τα καλύμματα του σφραγισμένου γόνου βυθίζονται και σε ορισμένα δημιουργείται μια μικρή τρύπα.

5. Συμπτώματα της αμερικάνικης σηψιγονίας στα σφραγισμένα κελιά: η προνύμφη σαπίζει και αν την τραβήξουμε με ένα σπίρτο από το κελί, σχηματίζεται κολλώδης ελαστική ίνα, που αργότερα μεταβάλλεται σε λέπι που δεν απομακρύνεται από τις μέλισσες.

6. Το πρωτόζωο Nosema Apis, παράγει σπόρους που διατηρούν τη βιωσιμότητα τους για 4 χρόνια στο μέλι.
7. Η νοζεμίαση οφείλεται στο πρωτόζωο Nosema Apis.
8. Η νοσεμίαση προκαλείται από την ανάπτυξη στο τοίχωμα του μέσου εντέρου ενός παρασίτου πρωτόζωων, του Nosema Apis και οι άρρωστες μέλισσες δεν μπορούν να πετάξουν.
9. Συμπτώματα της νοζεμίασης είναι ο σημαντικός αριθμός νεαρών μελισσών μπροστά στην είσοδο των κυψελών, καθώς και περιττώματα μελισσών στους τοίχους και τα καπάκια των κυψελών.
10. Η ασκοσφαίρωση οφείλεται στον μύκητα Ascosphaere Apis ο οποίος ανήκει στους ασκομύκητες της οικογένειας Ascospheraceae.
11. Στην ασκοσφαίρωση τα νεκρά, σκληρά σώματα των προνυμφών έχουν λευκό χρώμα.
12. Συμπτώματα ασκοσφαίρωσης: κελιά με μικρές τρύπες με μουμιοποιημένες προνύμφες στην είσοδο και στη βάση της κυψέλης.
13. Συμπτώματα της βαρρόα είναι παραμορφωμένες μέλισσες, ασύμμετρα πόδια, τσαλακωμένα φτερά και διάσπαρτος γόνος.
14. Το άκαρι βαρρόα είναι ορατό με γυμνό μάτι βρίσκεται συνήθως ανάμεσα στα δακτυλίδια της κοιλιάς ανάμεσα στον θώρακα και την κοιλιά.

15. Το πρωτόζωο βαρρόα πολλαπλασιάζεται αποκλειστικά σε κλειστά κελιά του γόνου.
16. Η πρόληψη και καταπολέμηση ασθενειών το φθινόπωρο γίνεται με φυσικές ουσίες: μυρμηκικό οξύ, γαλακτικό οξύ, οξαλικό οξύ, θυμόλη, αιθέρια έλαια.
17. Έγινε θεραπεία εναντίον της βαρρόα με ένα αναποτελεσματικό φάρμακο, τα μελίσσια μεταφέρθηκαν στο πεύκο και μετά από δύο εβδομάδες διαπιστώθηκε ότι έχουν βαριά προσβολή από άκαρι. Η πιθανότητα επιμόλυνσης είναι μεγάλη, επειδή μεταφέρονται σε περιορισμένο σχετικά χώρο.
18. Οι μελισσοφάγοι εμφανίζονται τον Μάρτιο μέχρι το τέλος Σεπτεμβρίου.
19. Ο μεγάλος κηρόσκωρος (Galleria mellonelle) και ο μικρός κηρόσκωρος (Acheroa guisella) είναι γκριζωπές πεταλούδες, των οποίων οι κάμπιες τρώνε τα πλαίσια των κηρηθρών.
20. Η Αχερόντια ή Νεκροκεφαλή ανήκει στην οικογένεια Sphingidae, είναι πεταλούδα που τρέφεται από το μέλι το οποίο κλέβει από τις κυψέλες.
21. Ο μεγάλος κηρόσκωρος Galleria mellonela L, είναι μια νυκτόβια πεταλούδα που ανήκει στην τάξη των Λεπιδόπτερων της οικογένειας Pyralidae και αντιμετωπίζεται με αποθήκευση των κηρήθρων σε θερμοκρασία χαμηλότερη των 10 βαθμών Κελσίου.
22. Σφήκες που μπορεί να λεηλατήσουν το μελίσσι είναι οι σκούρκοι ή σερσένια (Vespa crabro).

23. Ως παγίδα για σφήκες χρησιμοποιείται φιάλη με νερό και κοίλο πυθμένα, που στο κέντρο της ανοίγεται μια τρύπα.

24. Πυκνός ιστός από μετάξι καλύπτει τις κηρήθρες που είναι κατεστραμμένες από κηρόσκωρο (Galleria mellonela).

25. Σύμπτωμα δηλητηρίασης είναι ο σχηματισμός σωρών από νεκρές και ετοιμοθάνατες μέλισσες στο έδαφος, μπροστά στην είσοδο όλων των κυψελών του μελισσοκομείου.

26. Τα ακαρεοκτόνα περιλαμβάνουν μεταξύ άλλων ιδιοσκευάσματα των δραστικών ουσιών chlorofenson, διάφορες οργανοφωσφορικές ενώσεις και χλωριωμένους υδρογονάνθρακες.

27. Η προσθήκη στο δηλητηριασμένο μελίσσι εκκολαπτόμενου γόνου ή μελισσών από άλλα μη μολυσμένα μελίσσια βοηθά στη γρήγορη αποκατάστασή του.

Ανθοφορίες και Μελισσοκομικά φυτά

1. Για κάθε φυτό η παραγωγή νέκταρος ποικίλει με την ώρα της ημέρας. Το θυμάρι και οι λεβάντες εκκρίνουν όλη τη μέρα, ενώ πολλά άνθη δίνουν νέκταρ κυρίως το πρωί και το βράδυ.
2. Η έλλειψη γύρης έχει ως αποτέλεσμα το αδυνάτισμα των μελισσών.
3. Οι εργάτριες αναζητούν γύρη σε άνθη όπως ιτέα, λεπτοκαρυά, ζωχούς στο τέλος του χειμώνα.
4. Η πρόπολη σε περιόδους ξηρασίας είναι ένα υποκατάστατο της συλλογής νέκταρος.
5. Ο καπνός (Nicotiana Tabacum) θανατώνει τις μέλισσες με το τοξικό του νέκταρ και τη βλεννώδη ουσία με την οποία παγιδεύει τα πόδια και φτερά της μέλισσας.
6. Υπάρχει αποθηκευμένη γύρη σε μερικά πλαίσια, αλλά οι μέλισσες δεν την χρησιμοποιούν, πιθανόν δεν υπάρχει γόνος στο μελίσσι ή τα πλαίσια γύρης βρίσκονται μακριά από τη γονοφωλιά.

7. Για τη συλλογή γύρης χρησιμοποιούνται ειδικές παγίδες – οι γυρεοπαγίδες – οι οποίες όταν τοποθετηθούν στην είσοδο της κυψέλης, κατακρατούν τη γύρη από τα πόδια των μελισσών επιτρέποντας έτσι τη συλλογή και χρησιμοποίησή της.

8. Οι εργάτριες αναζητούν τη γύρη τους σε πολλά άνθη, ιδιαίτερα όμως σε ιτέα, ζωχούς, λεπτοκαρυά στο τέλος καλοκαιριού.

9. Οι κόκκοι γύρης στο μέλι επιτρέπουν να βρούμε την προέλευση του και την εποχή συλλογής.

10. Τοξική γύρη για τις μέλισσες είναι ένα είδος φλαμουριάς.

11. Φυτά που βοηθούν στο να εκτραφεί ο γόνος και να μειωθούν οι δυσμενείς επιπτώσεις από το πεύκο είναι: ακονιζιά (Inula viscasa), αλμυρίκι (Tamarix spp), αρκουδόβατο (Smirax aspera), κισσός (Hedera helix).

13. Οι κυριότερες ανθοφορίες του καλοκαιριού είναι: θυμάρι, βαμβάκι, έλατο, πολυκόμπι, καστανιά, ηλίανθος, λεβάντα, γλυκάνισος, δενδρολίβανο, φλαμουριά, λιγούστρο.

14. Ενδείξεις νεκταροέκκρισης είναι η αύξηση του βάρους της κυψέλης, λιγότερο επιθετικές μέλισσες, ταχύτατο χτίσιμο φύλλων κηρήθρας, πολλές νεκταροσυλλέκτριες μέλισσες, λιγοστοί φρουροί μπροστά στην κυψέλη, ξάσπρισμα κηρήθρων.

15. Το φυτό Thymus capitatus που μαζί με τα άλλα συγγενή είδη απαντάται σ' όλη σχεδόν την Ελλάδα. Παράγει το θυμαρίσιο μέλι που αντιπροσωπεύει το 10% της συνολικής παραγωγής της χώρας.

16. Το έλατο αντιπροσωπεύει το 5% της ετήσιας παραγωγής μελιού και τα βουνά Μαίναλο στην Πελοπόννησο, Πάρνηθα στην Αττική και Παρνασσός στη Φωκίδα είναι οι κύριες περιοχές παραγωγής.

17. Η λεβάντα ανήκει στην οικογένεια (Lavandula spp) Labiata αριθμεί δύο είδη και είναι καλλιεργούμενο αυτοφυές. Παράγει νέκταρ όχι γύρη.

18. Οι μέλισσες δεν επισκέπτονται όλα τα άνθη των φυτών. Η επιλογή γίνεται κυρίως με βάση διατροφικά κριτήρια, τα οποία αφορούν στην περιεκτικότητα της γύρης σε πρωτεΐνη και του νέκταρος σε σάκχαρα.

19. Η παπαρούνα δίνει άφθονη γύρη, μαύρου σχετικά χρώματος για μεγάλο χρονικό διάστημα.

20. Το παλιούρι είναι αυτοφυής θάμνος, θεωρείται το σημαντικότερο από τα μελισσοκομικά φυτά. Τα άνθη του είναι κίτρινα μικρού μεγέθους που παράγουν πολύ νέκταρ και γύρη εξαιρετικής ποιότητας.

21. Λαδανιά (Cistus spp.), κουνουκλιά, κίστο, αγγίσαρος. Αυτοφυές φυτό που δίνει άφθονη και καλής ποιότητας γύρη.

22. Το μέλι του σιναπιού κρυσταλλώνει γρήγορα.

23. Τα μελίσσια δεν πρέπει να μείνουν πολύ αργά το φθινόπωρο στην ερείκη, γιατί οι μέλισσες δεν προλαβαίνουν να συμπυκνώσουν το νέκταρ και προκαλούνται προβλήματα δυσεντερίας.

24. Στην ανθοφορία που παρουσιάζεται πριν την παραγωγική φάση του μελισσιού (πρώιμη ανθοφορία), για να αποθηκευτεί μέλι πρέπει να υπάρχει πρώιμη ανάπτυξη.

25. Όταν η παραγωγική φάση του μελισσιού παρουσιάζεται νωρίτερα από την ανθοφορία (όψιμη ανθοφορία), το μελίσσι θα συλλέξει μέλι σε ποσότητα κάτω από τις πραγματικές του δυνατότητες.

26. Ένα από τα μειονεκτήματα εκμετάλλευσης πεύκου είναι η μετάδοση ασθενειών λόγω περιπλάνησης.

27. Το μέλι πορτοκαλιάς είναι αρωματικό ανοιχτού χρώματος, κρυσταλλώνει γρήγορα και αποτελεί το 10% περίπου της συνολικής παραγωγής.

28. Τα μελίσσια βρίσκονται σε περιοχές με μεγάλη έκταση από ηλίανθο ή γλυκάνισο. Τα δύο αυτά φυτά εκκρίνουν ένα είδος κόμμεος που προκαλεί παραμορφώσεις.

29. Το θυμάρι είναι ανθισμένο, οι μέλισσες το επισκέπτονται αλλά δεν αποθηκεύουν μεγάλες ποσότητες μελιού, γιατί η τροφή που συλλέγεται χρησιμοποιείται για την εκτροφή του.

30. Στα πευκοδάση μεταφέρονται μόνο τα δυνατά μελίσσια, τα οποία πρέπει να έχουν γύρη, αλλά όχι μέλι.

31. Οι πιο σπουδαίες οικογένειες φυτών για παραγωγή νέκταρος και γύρης για τη μέλισσα είναι οι ακόλουθες: οικογένεια Leguminosae (τριφύλλια), οικογένεια Labiatae (θυμάρι), οικογένεια Tiliaceae (φλαμουριά), οικογένεια Compositae (ηλίανθος).

32. Όταν θα αρχίσει η έντονη συλλογή του νέκταρος, θ' αρχίσει και θα ενταθεί το φαινόμενο του μπλοκαρίσματος του γόνου.

33. Η διάκριση των μελισσοκομικών φυτών μπορεί να γίνει με πολλούς τρόπους λαμβάνοντας υπόψη διαφορετικά κριτήρια όπως η εποχή ανθοφορίας και τον αν είναι αυτοφυή ή καλλιεργούμενα.

Τροφοδότηση

1. Διεγερτική τροφοδοσία εφαρμόζεται όταν σταματήσει η νεκταροέκκριση, μειωθεί η ωοτοκία της βασίλισσας και διαπιστωθεί ότι περιορίσθηκε ο γόνος.
2. Προϋπόθεση για την επιτυχία της διεγερτικής τροφοδοσίας είναι η παρουσία γύρης ή υποκατάστατου γύρης.
3. Το μελίσσι τροφοδοτείται με μέλι σε περιπτώσεις που κινδυνεύει να χαθεί από πείνα το χειμώνα ή νωρίς την άνοιξη.
4. Η μελάσα είναι ακατάλληλη και επικίνδυνη για τις μέλισσες γι' αυτό δεν συνιστάται ως μελισσοτροφή.
5. Μέλι που ξίνισε σε όλη του τη μάζα δεν δίνεται στα μελίσσια, γιατί προκαλεί προβλήματα δυσεντερίας.
6. Η τροφοδοσία με αραιωμένο μέλι γίνεται τις απογευματινές ώρες, ώστε να αποφευχθεί η λεηλασία.
7. Η ανανέωση του πληθυσμού των μελισσών το φθινόπωρο γίνεται με μεταφορά των μελισσών σε όψιμες ανθοφορίες που δίνουν γύρη καθώς και διεγερτική τροφοδοσία.

8. Το ζαχαροζύμαρο δεν πρέπει να δίνεται νωρίς την άνοιξη, πριν ξεπεραστούν τα κρύα και οι παγωνιές, γιατί προκαλεί διέγερση και εκτροφή γόνου, με αποτέλεσμα ο γόνος στα ακριανά πλαίσια να μην καλυφθεί από τη μελισσόσφαιρα και να παγώσει.

9. Η γλυκόζη εμπορίου περιέχει υψηλά ποσοστά δεξτρινών, οι οποίες είναι άπεπτες για τις μέλισσες.

10. Τροφοδότηση με γύρη γίνεται σε περιπτώσεις που το μελίσσι κινδυνεύει να χαθεί από πείνα το χειμώνα ή νωρίς την άνοιξη.

11. Τροφοδότηση με σιρόπι πλεονεκτεί στο ότι δε μεταδίδονται αρρώστιες μειονεκτεί στο ότι εκδηλώνονται λεηλασίες.

12. Η διαφορά της διεγερτικής από τη συνηθισμένη τροφοδότηση είναι ότι κατά τη διεγερτική δίνουμε στο μελίσσι μικρές ποσότητες (1/8 περίπου αραιού σιροπιού, δηλαδή με αναλογία 1/2-1/3 ζάχαρη σε νερό).

13. Η διεγερτική τροφοδότηση συνεχίζεται για ένα διάστημα 10-15 ημέρες.

14. Η διεγερτική τροφοδότηση συνεχίζεται για ένα διάστημα 20-25 ημέρες.

Βασιλοτροφία

1. Στα μελίσσια που ετοιμάζονται να σμηνουργήσουν εφαρμόζεται η μέθοδος Demaree για την παραγωγή βασιλικού πολτού
2. Η μέθοδος Hopkins είναι μέθοδος παραγωγής βασιλικού πολτού, δίνει αρκετά βασιλικά κελιά και προσφέρεται για μελισσοκόμους που θέλουν να αποφύγουν εμβολιασμούς.
3. Η κλασσική μέθοδος εκτροφής βασιλισσών πλεονεκτεί στο ότι η ορφάνια περιορίζεται σ'ενα μόνο μελίσσι για δύο μέρες, χρησιμοποιούνται όλα τα βασιλικά κελιά και οι βασίλισσες εκτρέφονται κάτω από άριστες συνθήκες διατροφής.
4. Στην κλασική μέθοδο βασιλοτροφίας το ορφανό μελίσσι ονομάζεται μελίσσι έναρξης.
5. Στη μέθοδο Σνέλκροφ ο πρώτος αριθμός δείχνει τον αριθμό των πλαισίων, ο δεύτερος του πληθυσμού και ο τρίτος τον γόνο.
6. Προϋπόθεση της μεθόδου βασιλοτροφίας είναι το μελίσσι εκτροφής να έχει αποκτήσει τη διάθεση να κάνει βασίλισσες διάσωσης. Για να το φέρουμε σ' αυτήν την κατάσταση,

πρέπει να διακόψουμε την επαφή εργατριών βασίλισσας, αφαιρώντας την από την κυψέλη, περιορίζοντας τη βασίλισσα σ' ένα μέρος της φωλιάς με βασιλικό διάφραγμα.

7. Ο βασιλικός πολτός συλλέγεται από βασιλοκύτταρα που κατασκευάζουν οι μέλισσες όταν σμηνουργούν, όταν αντικαθιστούν τη βασίλισσα ή όταν μένουν ορφανές.

8. Όλες οι μέθοδοι παραγωγής βασιλικού πολτού είναι και μέθοδοι παραγωγής βασιλισσών.

9. Οι υποφαρυγγικοί αδένες της νεαρής εργάτριας μέλισσας παράγουν τον βασιλικό πολτό ως συνέπεια της άφθονης κατανάλωσης σε γύρη.

10. Τα βασιλικά κελιά κρέμονται συνήθως στις άκρες των κηρήθρων. Όταν η παλιά βασίλισσα διαπιστώσει την ύπαρξη βασιλικών κελιών, τότε φεύγει με ένα μέρος του μελισσιού.

11. Την άνοιξη (Απρίλιος) και το καλοκαίρι (Αύγουστος) τα βασιλοκέλια γίνονται ευκολότερα δεκτά και έχουν μεγαλύτερη ποσότητα βασιλικού πολτού παρά το φθινόπωρο (Σεπτέμβριος).

12. Όταν σ' ένα μελίσσι υπάρχουν δύο ή περισσότερες βασίλισσες θα υπερισχύσει μία μόνο βασίλισσα.

13. Το μαρκάρισμα των βασιλισσών γίνεται με πέντε διαφορετικά χρώματα κοινά για όλον τον κόσμο. Συγκεκριμένα για χρονιές που τελειώνουν σε τρία και οκτώ το χρώμα είναι πράσινο.

14. Στην περίπτωση που θέλουμε να δημιουργήσουμε μια παραφυάδα από ένα δυνατό μελίσσι, μετά από έξι ώρες εισάγουμε μια νέα γονιμοποιημένη βασίλισσα ή τοποθετούμε με διαφορετικούς τρόπους ένα βασιλικό κελί.

15. Στη παραγωγή βασιλισσών με τη μέθοδο Hopkins δεν χρειάζεται εμβολιασμός και η εφαρμογή δεν απαιτεί πολλά μελίσσια.

16. Ο επιχειρηματίας μελισσοκόμος χρησιμοποιεί για κάθε μελισσοκομικό έτος, όπως και για κάθε βασίλισσα, μια νέα καρτέλα, ενώ ο βελτιωτής κρατάει μία μόνο για ολόκληρη τη ζωή της βασίλισσας.

17. Η βασίλισσα εισάγεται στο μελίσσι με τη χρησιμοποίηση κάποιου κλουβιού, που τοποθετείται ανάμεσα σε κηρηθροφορείς. Η σήραγγα στο τοίχωμα του “κλουβιού εισαγωγής” είναι γεμάτη με ανάλογη ποσότητα ζαχαροζύμαρου.

Μελισσοκομικοί χειρισμοί

1. Τα αδύνατα μελίσσια που κατορθώνουν να ξεχειμωνιάσουν, έχουν μικρό πληθυσμό την άνοιξη και αδυνατούν να αναπτυχθούν.
2. Στο κέντρο της κυψέλης τοποθετούνται κηρήθρες που έχουν κεντρικό γόνο ή άδεια κελιά και περιφερειακά τα στεφάνια μελιού.
3. Το φθινόπωρο είναι η καταλληλότερη εποχή για να αντιμετωπισθεί με επιτυχία η βαρρόα.
4. Για να αξιοποιηθούν καλύτερα οι μελιτοεκκρίσεις του πεύκου, δημιουργείται και δεύτερη είσοδος στο πάνω πάτωμα διώροφων μελισσιών.
5. Οι φθινοπωρινές μέλισσες ζουν περισσότερο γιατί καταναλώνουν μεγαλύτερη ποσότητα τροφής ως προνύμφες, δεν ταλαιπωρούνται στην εκτροφή γόνου και σε ταξίδια συλλογής τροφών.
6. Τέλος φθινοπώρου ο πληθυσμός των μελισσιών περιορίζεται, γιατί η ωοτοκία της βασίλισσας μειώνεται και γεννιούνται λιγότερες μέλισσες από εκείνες που φυσιολογικά πεθαίνουν από γηρατειά.

7. Τον Αύγουστο ο πληθυσμός των μελισσών μειώνεται συνεχώς, πιθανά αίτια είναι ότι δεν υπάρχει νεκταροέκκριση.

8. Για να αποφευχθούν οι κίνδυνοι της λεηλασίας, ο τρύγος μπορεί να αρχίσει νωρίς το πρωί ή να γίνει αλλαγή μελισσοκομείου.

9. Εργασίες Ιανουαρίου είναι το ζύγισμα, έλεγχος για την κατάσταση της υγείας των μελισσών, παραγωγή βασιλικού πολτού και κατάργηση αδύνατων μελισσών.

10. Υπάρχει καλή ανθοφορία στην περιοχή, αλλά οι μέλισσες δεν χτίζουν κηρήθρες. Πιθανές αιτίες είναι πως στο μελίσσι δεν υπάρχει βασίλισσα, οι θερμοκρασίες είναι ακόμα χαμηλές και τα φύλλα κηρήθρας τοποθετήθηκαν πάνω από το βασιλικό διάφραγμα.

11. Στην πρώτη επιθεώρηση του Φεβρουαρίου βρέθηκαν μερικά μελίσσια σε αντίθεση με το σύνολο να μην έχουν γόνο. Πιθανές αιτίες είναι ότι το μελίσσι είναι ορφανό ή οι βασίλισσες δεν ξεκίνησαν την ωοτοκία τους.

12. Οι μέλισσες σφράγισαν με πευκόμελο τις μισές κηρήθρες ενός μελισσιού και στις υπόλοιπες αποθήκευσαν διάσπαρτα μέλι που δεν έχει ακόμα ωριμάσει. Πιθανό αίτιο είναι πως οι μέλισσες συλλέγουν εντατικά μελίτωμα και δεν προλαβαίνουν να το μετατρέψουν σε μέλι.

13. Εργασίες πριν την νεκταροέκκριση είναι η συνένωση αδύνατων μελισσιών, η αντικατάσταση αδύνατων μελισσιών, η αντικατάσταση ακατάλληλων βασιλισσών και η τοποθέτηση κτισμένων κηρήθρων και ορόφων.

14. Εργασίες κατά την νεκταροέκκριση είναι ο περιορισμός χρόνου επιθεωρήσεων στο ελάχιστο, αφαίρεση ορόφων με μέλι και βασιλικό διάφραγμα μεταξύ ορόφων.

15. Υποκατάστατο ή συμπλήρωμα γύρης εφαρμόζεται όταν είναι περίοδος εκτροφής γόνου και δεν υπάρχει αποθηκευμένη ή διαθέσιμη στη φύση γύρη.

16. Με το κλείσιμο των οπών πτήσης αρχίζουμε να προετοιμάζουμε και τα μελίσσια για τη μεταφορά. Φροντίζουμε για τον αερισμό των κυψελών και στερεώνουμε τον ιμάντα μεταφοράς.

17. Η καταστολή σμηνουργίας γίνεται με καταστροφή βασιλικών κελιών και αναστροφές ορόφου.

18. Η πρόληψη σμηνουργίας γίνεται με αύξηση χώρου του μελισσιού (άκτιστες κηρήθρες μετά τον γόνο), αντικατάσταση της γερασμένης βασίλισσας και επιλογή φυλών που σμηνουργούν λιγότερο.

19. Αμοιβαία αλλαγή θέσης. Αλλάζοντας τη θέση μιας δυνατής κυψέλης με μια αδύνατη, οι συλλέκτριες του δυνατού μελισσιού θα επιστρέψουν στην παλιά θέση, θα μπουν όμως στην αδύνατη κυψέλη. Θα επέλθει έτσι εξισορρόπηση των δύο κυψελών, και θα μειωθεί η τάση για σμηνουργία στο δυνατό μελίσσι, καθώς θα μειωθεί ο πληθυσμός του.

20. Στη μέθοδο Σνελκρόφ χρησιμοποιείται διάφραγμα που έχει δύο εισόδους και τρεις εξόδους (Α,Β,Γ).

21. Η μέθοδος Demaree είναι μια από τις μεθόδους καταστολής σμηνουργίας.

22. Ενίσχυση αδύνατων μελισσών γίνεται, ώστε να εξισωθούν σε γόνο και πληθυσμό.

23. Η μέση απόδοση σε μέλι ανά κυψέλη φτάνει τα 22 κιλά.

24. Αργά το χειμώνα ή νωρίς την άνοιξη γίνεται επιλογή του συστήματος εκμετάλλευσης αναφορικά με το εάν θα είναι το μέλι το μόνο προϊόν που θα παραχθεί ή θα υπάρξουν και άλλα όπως γύρη ή βασιλικός πολτός.

25. Τα φάρμακα δεν χρησιμοποιούνται ποτέ λίγο πριν από τον τρύγο του μελισσιού.

26. Τρόπος περιορισμού της σμηνουργίας είναι η καταστροφή όλων των βασιλικών κελιών πριν αυτά σφραγισθούν.

27. Σε αρκετές χώρες λειτουργούν υπηρεσίες κατευθυνόμενης επικονίασης.

28. Δεν επιτρέπεται να γίνονται επιθεωρήσεις κατά τη διάρκεια της ανθοφορίας.

29. Η μέθοδος του διπλού μελισσιού με παρεμπόδιση της σμηνουργίας χρησιμοποιείται πολύ στη Ρουμανία και επιτρέπει στους μελισσοκόμους της χώρας αυτής να δουλεύουν με τα μελίσσια τους χωρίς δυσκολία και να τρυγούν μεγάλες ποσότητες μελιού.

30. Στο σημειωματάριο του μελιού αναγράφονται τα εξής: ο αύξων αριθμός κυψέλης, ο πληθυσμός που καλύπτει τα πλαίσια, τα πλαίσια με γόνο, η ποσότητα μελιού και οι παρατηρήσεις.

31. Με τη μέθοδο Αλεξάντερ για την ενδυνάμωση αδύνατων μελισσιών το δυνατό μελίσσι δεν εξασθενεί όπως γίνεται στην περίπτωση της αλλαγής θέσης, γιατί δεν χάνει τον εργατικό του πληθυσμό.

32. Εάν ο μελισσοκόμος δεν παρέμβει στην αντικατάσταση βασίλισσας ενός σμήνους, το σμήνος αυτό θα αντικαταστήσει τη βασίλισσά του όταν νομίζει ότι είναι ανάγκη. Η τακτική αυτή δεν είναι ορθή, καθώς η φυσική αντικατάσταση γίνεται από γόνο της ίδιας βασίλισσας η οποία είναι πολλές φορές ανεπιθύμητη.

33. Είναι προτιμότερο η προσθήκη κενών κηρήθρων να γίνεται μεταξύ της τελευταίας κηρήθρας και του γόνου και του πλαισίου γύρης.

34. Ο τροφοδότης Ντούλιτς τροφοδοτεί μέσα στην κυψέλη.

35. Ακανόνιστη διάταξη των κυψελών και βάψιμο της εισόδου τους με κίτρινο γαλάζιο και άσπρο χρώμα σε εναλλασσόμενη διαδοχή, μειώνουν σημαντικά το ποσοστό παραπλάνησης.

36. Η αρίθμηση των κυψελών είναι απαραίτητη για την ατομική παρακολούθηση του κάθε μελισσιού και την καλύτερη εξαγωγή εργασιών στο μελισσοκομείο.

37. Τα τζιβέρτια είναι οριζόντιες κυλινδρικές πήλινες κυψέλες στην Κύπρο.

38. Ανάλογα με τη θέση του μελισσοκομείου και το πόσο εντατική είναι η εκτροφή, μπορούμε να τρυγήσουμε 10 ως 20 κιλά μέλι, ανά μελίσσι και χρονιά. Το πιθανό κέρδος για 10 κιλά μέλι κυμαίνεται στα 80 ευρώ.

39. Κατά την αγορά μελισσιών ελέγχουμε πόσα πλαίσια με γόνο υπάρχουν, ποιας χρονιάς είναι η βασίλισσα, και το πιστοποιητικό υγείας του μελισσώνα από κτηνιατρική υπηρεσία.

40. Το καπνιστήρι είναι η πιο συνηθισμένη συσκευή καπνού, στο οποίο αναμειγνύουμε ροκανίδι ή πευκοβελόνες ή ίσκα.

41. Επαγγελματική θεωρείται όχι μόνο η μελισσοκομία που ασκείται ως πηγή βασικού εισοδήματος, αλλά και εκείνη που ασκείται ως δευτερεύον εισόδημα.

42. Ο άνθρωπος που φροντίζει ένα μέσο μελισσοκομείο ξοδεύει 120 ώρες ετησίως. Με ομοιόμορφη κατανομή αυτού του χρόνου, αντιστοιχούν δέκα περίπου ώρες κάθε μήνα για μελισσοκομικές εργασίες.

43. Οι ανοιχτόχρωμες και μαλακές βούρτσες είναι καλύτερες από τις σκούρες και σκληρές.

44. Με το ξέστρο καθαρίζουμε τις πτυχές και σηκώνουμε τα πλαίσια, απελευθερώνουμε τις πλαισιοκηρήθρες, ξύνουμε και καθαρίζουμε τα αυλάκια και τις επιφάνειες.

45. Η απόδοση εξαρτάται και από την απόσταση των μελισσιών από την πηγή βοσκής. Αν απέχουν περισσότερο από 400 μέτρα, μειώνεται η αποδοτικότητά τους.

46. Λόγοι μεταφοράς εκτός από τη βόσκηση είναι οι καλύτερες συνθήκες διαχείμασης, η πιο γρήγορη ανάπτυξη μελισσιών, η αξιοποίηση διαφορετικών ανθοφοριών, η παραγωγή ποικίλων ειδών μελιού, η χρήση μελισσιών ως επικονιαστών, η καλύτερη οικονομικά απόδοση.

47. Οι συνθήκες ανθοφορίας στον αρχικό τόπο του μελισσοκομείου καθορίζουν τον τύπο μεταφοράς και το είδος των φυτών που θα επιδιώξουμε να υπάρχουν σ' αυτόν. Αν βρισκόμαστε σε μια περιοχή με πρώιμη ανθοφορία, θα προτιμήσουμε έναν τόπο σε μεγαλύτερο υψόμετρο ή δασική έκταση.

Επιθεώρηση

1. Σε αρρενοτόκο και αδύναμο μελίσσι τινάζουμε τις μέλισσες από τα πλαίσια μακριά, καταστρέφουμε τον κηφινόγονο και στην κυψέλη τοποθετούμε πλαίσια με φύλλα κηρήθρας άκτιστα με μια νέα γονιμοποιημένη βασίλισσα.
2. Σε ορφανό μελίσσι δίνουμε πλαίσιο με ανοιχτό υγιή γόνο, δηλαδή ασφράγιστο από άλλο, ώστε να κάνει βασιλοκέλια και να βγάλει βασίλισσα ή το ενώνουμε με αδύναμο μελίσσι το οποίο έχει νέα βασίλισσα.
3. Το έντονο βουητό σχετίζεται με κατάσταση σμηνουργίας του μελισσιού.
4. Αδύναμο ορφανό μελίσσι το ενώνουμε με μέτριας ανάπτυξης μελίσσι
5. Αρρενοτόκο είναι το μελίσσι στο οποίο γεννούν αγονιμοποίητα αυγά οι εργάτριες. Αυτό γίνεται είτε γιατί δεν έχει βασίλισσα, είτε έχει αλλά είναι αγονιμοποίητη.

6. Χρειάζεται πάνω από ένας μήνας ορφάνιας για να γίνει αρρενοτόκο ένα μελίσσι και το εξακριβώνεις άμα κοιτάξεις με προσοχή τα κελιά που δεν έχουν σφραγισθεί. Παραμένουν περισσότερα από ένα αυγά μέσα και αυτά είναι κολλημένα στα τοιχώματα και όχι στον πάτο του κελιού, διάσπαρτος γόνος.

7. Όταν ο καιρός είναι ζεστός, οι μέλισσες πτήσης πιάνονται αλυσιδωτά έξω από την κυψέλη στην περιοχή της οπής πτήσης. Αυτή η συγκέντρωση ονομάζεται "γένι".

Μελισσοκομικά προϊόντα

1. Μελισσοκομικά προϊόντα είναι: το μέλι, ο βασιλικός πολτός, το κερί, η πρόπολη, το δηλητήριο και άλλα όπως οι βασίλισσες, οι παραφυάδες και τα παραγωγικά μελίσσια.
2. Μέλι είναι η γλυκιά ουσία που παράγουν οι μέλισσες και την οποία εκμεταλλεύεται ο άνθρωπος για τροφή.
3. Από το νέκταρ παράγεται ανθόμελο, ενώ από τις εκκρίσεις διαφόρων εντόμων (μελιτώματα) που ζουν πάνω σε ζωντανά μέρη των φυτών και τις οποίες συλλέγει η μέλισσα, παράγονται το πευκόμελο και το μέλι ελάτης.
4. Επιστρέφοντας η συλλέκτρια εναποθέτει το φορτίο της σε ένα κελί ή το προσφέρει σε μια οικιακή εργάτρια – διαδικασία που ονομάζεται τροφάλλαξη, η οποία με τη σειρά της μπορεί να το δώσει σε άλλη κ.ο.κ. έως ότου τελικά καταλήξει σε ένα κελί.
5. Το μέλι έχει γενικά βασικό pH.
6. Βασικό χαρακτηριστικό των μελιών είναι η κρυστάλλωση ή ζαχάρωμα, το φαινόμενο οφείλεται στη παρουσία γλυκόζης, η οποία σχηματίζει κρυστάλλους γύρω από τους οποίους στερεοποιείται όλη η μάζα του μελιού.

7. Για κάθε είδος μελιού το ιξώδες δηλαδή το πόσο παχύρρευστο είναι ένα μέλι, εξαρτάται από τη θερμοκρασία του περιβάλλοντος που βρίσκεται και την περιεκτικότητά του σε νερό (περιεχόμενη υγρασία).
8. Τα μέλια καστανιάς και ερείκης έχουν υπόπικρη γεύση.
9. Τα παλινολογικά χαρακτηριστικά αναφέρονται στη ποσοτική και ποιοτική περιεκτικότητα των μελιών σε γυρεοκόκκους.
10. Κάθε είδος φυτού ή ποικιλία φυτού έχει χαρακτηριστικής μορφολογίας γυρεοκόκκους, γεγονός που επιτρέπει την αναγνώριση της φυτικής προέλευσης του μελιού.
11. Ο βασιλικός πολτός είναι μια ουσία παχύρρευστη, ζελατινώδης, χρώματος λευκού και ελαφρώς υποκίτρινου, ιδιάζουσας γεύσης, όξινης και αρωματικής.
12. Το κερί παράγεται υπό τη μορφή μικρών, λευκών λεπιών από τους κηρογόνους αδένες.
13. Πρόπολη είναι μια ουσία που τοποθετείται προ της εισόδου της κυψέλης για την άμυνα του μελισσιού γνωστή επίσης για τις απολυμαντικές της και θεραπευτικές της ιδιότητες.
14. Οι εργάτριες επισκέπτονται φυτά πλούσια σε ρητινώδεις, γομώδεις και βαλσαμικές ουσίες τις οποίες αποκολλούν σε μικρά κομμάτια με τις σιαγόνες τους, συνήθως από τους οφθαλμούς των φυτών αυτών.
15. Η πρόπολη είναι αδιάλυτη στο νερό.

16. Στο δηλητήριο της μέλισσας περιλαμβάνονται βιογενείς αμίνες, μεταξύ των οποίων η ισταμίνη (0,1-1%) υπεύθυνη για τον οξύ πόνο που προκαλείται μετά το κέντρισμα.
17. Πατώματα που γεμίζουν με ώριμο μέλι πρέπει να απομακρύνονται (τρυγούνται), διότι η παρουσία κηρήθρων γεμάτων με μέλι μειώνει σημαντικά τη νεκταροσυλλογή.
18. Κατά τη διάρκεια της αφαίρεσης των πλαισίων με μέλι από τις κυψέλες, ο μελισσοκόμος πρέπει να σταματήσει την εργασία, αν εκδηλωθεί λεηλασία.
19. Τοποθετούμε τα πλαίσια κατάλληλα σε ειδικό μηχάνημα μελιτοεξαγωγέα, από το οποίο με φυγοκέντριση παίρνουμε μέλι που μαζεύεται στον πυθμένα του.
20. Η γυρεοπαγίδα ή γυρεοσυλλέκτης είναι μια συσκευή που προσαρμόζεται εύκολα μπροστά στην είσοδο της κυψέλης.
21. Αφού τοποθετήσουμε τις γυρεοπαγίδες, τις αφαιρούμε για 7-10 ημέρες και, μετά από ένα διάλειμμα 2-4 ημερών, τις τοποθετούμε πάλι για 7 ημέρες κ.ο.κ.
22. Τα μελίσσια τα οποία φέρουν γυρεοπαγίδες πρέπει να τροφοδοτούνται ταυτόχρονα με σιρόπι.
23. Ο μελισσοκόμος 72 ώρες μετά τον εμβολιασμό απομακρύνει από το μελίσσι το πλαίσιο με τα βασιλικά κελιά και από αυτά, αφού πρώτα αφαιρέσει την προνύμφη βασίλισσας, βγάζει με ειδική αντλία τον βασιλικό πολτό.
24. Μία από τις προϋποθέσεις παραγωγής βασιλικού πολτού είναι τα μελίσσια να είναι πολύ δυνατά, με νέες βασίλισσες και την περίοδο παραγωγής του βασιλικού πολτού να έχουν πολύ μεγάλο αριθμό νεαρών μελισσών.

25. Οι παλιές μαύρες κηρήθρες θεωρούνται ακατάλληλες για τη σωστή συνέχιση της ανάπτυξης του μελισσιού.
26. Η εξαγωγή του κεριού γίνεται με ηλιακό κηροτήκτη, κηροτήκτη ατμού υπό χαμηλή πίεση, ή με απλό βράσιμο κηρήθρων σε ανοιχτό καζάνι με νερό.
27. Την πρόπολη μπορούμε να την μαζέψουμε μέσα από την κυψέλη με την τοποθέτηση πλεγμάτων με μικρό άνοιγμα πάνω στους κηροθροφορείς των πλαισίων, κάτω από το καπάκι της κυψέλης.
28. Τα ανθόμελα μπορεί να πωληθούν 7-10 ευρώ το κιλό. Το βιολογικό μέλι μέχρι 15 ευρώ και πάνω.
29. Σε ορισμένες ευρωπαϊκές χώρες μπορούμε να βρούμε με την ονομασία «υδρόμελο» κρασιά που η βάση τους είναι ένα κρασί από φρούτα στο οποίο έχει προστεθεί μέλι. Οι γεύσεις είναι ποικίλες.
30. Στο εκχύλισμα που παίρνουμε μετά την εξάτμιση, για την παραγωγή πρόπολης έχουν αναγνωρισθεί πολλές μεγάλες τάξεις συστατικών, εκ των οποίων αυτή με τη μεγαλύτερη παρουσία είναι εκείνη των φλαβονοειδών.
31. Το μέλι μελιτόζης, εξαιτίας της ιδιότητας του να κρυσταλλοποιείται μέσα στα πλαίσια, ονομάζεται και πετρόμελο.
32. Το μέλι ποιότητας πρέπει να είναι ώριμο και φυσικό, καθαρό από σωματίδια, να έχει χαρακτηριστικό άρωμα και γεύση, εύχρηστη σύσταση για επάλειψη, να πληροί τις διατάξεις που αφορούν τη συσκευασία του και να έχει ετικέτα.

33. Το μέλι είναι υγροσκοπικό, απορροφά νερό και μπορεί να το αποβάλλει ξανά. Η απορρόφηση νερού γίνεται πιο έντονη, όσο πιο ψυχρός γίνεται ο περιβάλλον αέρας.

34. Η παραγωγή πρόπολης μπορεί να φτάσει ως 300 γρ. την κυψέλη.

Τυποποίηση και εμπορία μελισσοκομικών προϊόντων

1. Οι μελισσοκομικοί συνεταιρισμοί είναι οργανώσεις εμπορικής μορφής, ενώ οι σύλλογοι οργανώσεις συνδικαλιστικής μορφής.

2. Όταν για διάφορους λόγους το μέλι θερμαίνεται, τα κριτήρια που μεταξύ άλλων καθορίζουν την ποιότητα του είναι: η χημική ουσία υδροξυμεθυλοφουρφουράλη (HMF) και το ένζυμο διαστάση.

3. Μέλια που θεωρούνται φυσικά, δηλαδή δεν έχουν υποστεί αλλοίωση από επεξεργασία, θα πρέπει να έχουν τις εξής τιμές

   HMF < 40 mgr/Kgr μελιού και

   διαστάση > 8DN (μονάδα μέτρησης).

4. Σύμφωνα με τις σχετικές διατάξεις συσκευασίας του μελιού πρέπει να τοποθετούνται ετικέτες που θα φέρουν ορισμένες υποχρεωτικές ενδείξεις, όπως το όνομα και η έδρα του παραγωγού και ο τυποποιητής του συγκεκριμένου μελιού.

5. Μεταξύ των ελληνικών προϊόντων που έχουν αναγνωρισθεί και έχουν πάρει την ένδειξη προϊόντα προστατευόμενης ονομασίας προέλευσης είναι και το μέλι «Ελάτης Μαινάλου Βανίλια».

6. Η υπερβολική υγρασία στο μέλι – φαινόμενο που παρατηρείται όταν τα μέλια συλλέγονται ανώριμα ή προέρχονται από περιοχές με κλίμα πολύ υγρό – προκαλεί το ξίνισμα του μελιού λόγω ζύμωσης σακχάρων.

7. Για να αποφευχθεί η κρυστάλλωση, τα μέλια υπερθερμαίνονται ή υφίστανται διάφορες χημικές επεξεργασίες, που όμως επιδρούν αρνητικά στην ποιότητα τους και τα θρεπτικά τους συστατικά.

8. Η ισογλυκόζη εμπορίου έχει χαμηλή περιεκτικότητα σε HMF, που κυμαίνεται από 0 έως 15 mg/kg.

9. Η διαχείριση των πόρων με βάση την κοινότητα σε επίπεδο συνεργατισμού, μπορεί να τονώσει την απόδοση για όλους τους ενδιαφερόμενους και να προσφέρει ένα μέσον οικονομικής ανεξαρτησίας στους κατοίκους των αγροτικών κοινοτήτων αλλά και των κατοίκων της πόλης.

10. Για την εμπορευματοποίηση του μελιού είναι διαθέσιμες πολλές συσκευασίες. Το σχετικό πλεονέκτημα του γυάλινου δοχείου επί του πλαστικού εξηγείται με την εικόνα του «φυσικού», δηλαδή του οικολογικού που συνάδει με το προϊόν. Μειονέκτημα το βάρος του.

11. Η ετικέτα θα πρέπει να αναγράφει επίσης το καθαρό βάρος του προϊόντος, καθώς και τη πλήρη διεύθυνση του τελικού συσκευαστή. Επίσης να αναφέρεται η ημερομηνία συσκευασίας, καθώς και μια ημερομηνία λήξης, η οποία δεν θα υπερβαίνει τα δύο χρόνια από τη συσκευασία.

12. Ο ευρωπαϊκός κανονισμός καθορίζει την ΠΓΕ (Προστατευόμενη Γεωγραφική Ένδειξη) ως τη δυνατότητα να διατηρηθεί η χρήση γεωγραφικών όρων, σε προϊόντα που τα χαρακτηριστικά τους σχετίζονται με το έδαφος, τη λεκάνη παραγωγής, την γνώση.

Βιολογική μελισσοκομία

1. Στη βιολογική μελισσοκομία επιτρέπεται η χρήση μυρμηκικού οξέος, γαλακτικού οξέος, οξικού και οξαλικού καθώς και μενθόλης, θυμόλης, ευκαλυπτόλης ή καμφοράς σε περιπτώσεις βαρροϊκής ακαρίασης (Varroa destructor)

2. Ο μελισσοκόμος παρέχει στην Αρχή ή στον φορέα ελέγχου έναν χάρτη ενδεδειγμένης κλίμακας όπου καταγράφει τη θέση των μελισσιών. Όταν δεν προσδιορίζονται οι τοποθεσίες ο μελισσοκόμος παρέχει στην Αρχή ή τον φορέα ελέγχου επαρκή έγγραφα και αποδεικτικά στοιχεία μαζί με τις κατάλληλες αναλύσεις, εάν είναι απαραίτητο, ότι οι τοποθεσίες στις οποίες έχουν πρόσβαση τα μελίσσια του πληρούν τους όρους του κανονισμού για την παραγωγή βιολογικών προϊόντων.

3. Στο τέλος της περιόδου παραγωγής, πρέπει να διατηρούνται στις κυψέλες επαρκή αποθέματα μελιού και γύρης για την επιβίωση των μελισσιών τον χειμώνα.

4. Η πρακτική της εξόντωσης του αρσενικού γόνου επιτρέπεται μόνο για την περιστολή της βαρροϊκής ακαρίασης για την επιβίωση των μελισσιών τον χειμώνα.

5. Επιτρέπεται η χρησιμοποίηση κηρήθρων που περιέχουν γόνο για εξαγωγή μελιού.

6. Ο μελισσοκόμος πρέπει να χρησιμοποιεί νόμιμα το Πιστοποιητικό Συμμόρφωσης, Πιστοποιητικό παρτίδας, Σήμα, Ταυτότητες, Ιδιότητα κ. ά.

7. Κατά την περίοδο μετατροπής, το κερί πρέπει να αντικαθίσταται με κερί που προέρχεται από βιολογική μελισσοκομία.

8. Χρειάζεται μελέτη των Κανονισμών 2092/91 και 1804/99 και κατόπιν επικοινωνία με έναν Οργανισμό Ελέγχου και Πιστοποίησης βιολογικών προϊόντων, ώστε κάποια στιγμή ο μελισσοκόμος να αποκτήσει πιστοποιητικό βιολογικού προϊόντος.

9. Για την αλλαγή σε βιολογική μελισσοκομία χρειάζεται τουλάχιστον ένας χρόνος, κατά τον οποίο όλο το κερί πρέπει να αντικατασταθεί από κερί που προέρχεται από μονάδες βιολογικής παραγωγής.

Λάθος Απαντήσεις

Βιολογία μέλισσας

7. Η βασίλισσα χρειάζεται 26 ημέρες, η εργάτρια 21 και ο κηφήνας 24 ημέρες για την ολοκλήρωση του βιολογικού κύκλου.

   Σωστό: *Η βασίλισσα χρειάζεται 16 ημέρες*

Ανατομία, μορφολογία, φυσιολογία μέλισσας

2. Το μάτι της μέλισσας βλέπει το υπεριώδες όχι όμως το κόκκινο, δεν αντιδρά στις αυξομειώσεις φωτός και δεν εντοπίζει το πολωμένο φως.

   Σωστό: *Εντοπίζει το πολωμένο φως.*

Σμηνουργία

9. Όταν το ποσοστό των νεαρών εργατριών είναι μικρό, ευνοείται η εκδήλωση σμηνουργίας.

   Σωστό: *Οταν το ποσοστό των νεαρών εργατριών είναι μεγάλο.*

Φυλές Μελισσών

4. Η Apis florea είναι γιγάντια μέλισσα, σχηματίζει μια κηρήθρα σε ανοιχτό χώρο, είναι ελάχιστα επιθετική και έχει έντονη σμηνουργία.

   Σωστό: Είναι νάνος μέλισσα.

Πεύκο

9. Στα πευκοδάση μεταφέρονται όλα τα μελίσσια, τα οποία πρέπει να έχουν γύρη αλλά όχι μέλι.

   Σωστό: Μόνο τα δυνατά μελίσσια.

Ασθένειες - Εχθροί

15. Το πρωτόζωο βαρρόα πολλαπλασιάζεται αποκλειστικά σε κλειστά κελιά του γόνου.

    Σωστό: Το άκαρι βαρρόα.

Ανθοφορίες και Μελισσοκομικά φυτά

4. Η πρόπολη είναι ένα υποκατάστατο συλλογής νέκταρος.

   Σωστό: Η πρόπολη δεν είναι υποκατάστατο συλλογής νέκταρος.

8. Οι εργάτριες αναζητούν τη γύρη τους σε πολλά άνθη ιδιαίτερα όμως σε ιτέα, ζωχούς, λεπτοκαρυά στο τέλος του καλοκαιριού.

   Σωστό: Αναζητούν τη γύρη των συγκεκριμένων φυτών στο τέλος του *χειμώνα.*

Επιθεώρηση

3. Το έντονο βουητό σχετίζεται με κατάσταση σμηνουργίας του μελισσιού.

Σωστό: *Σχετίζεται με κατάσταση ορφάνιας του μελισσιού.*

Βασιλοτροφία

4. Στην κλασική μέθοδο βασιλοτροφίας το ορφανό μελίσσι ονομάζεται μελίσσι αποπεράτωσης.

Σωστό: *Ονομάζεται μελίσσι έναρξης.*

Τροφοδότηση

14. Η διεγερτική τροφοδότηση συνεχίζεται για ένα διάστημα 20-25 ημέρες.

Σωστό: *Η διεγερτική τροφοδότηση συνεχίζεται για ένα διάστημα 10-25 ημέρες.*

Μελισσοκομικοί χειρισμοί

9. Εργασίες Ιανουαρίου είναι το ζύγισμα, έλεγχος για την κατάσταση της υγείας των μελισσών, παραγωγή βασιλικού πολτού και κατάργηση αδύνατων μελισσών.

Σωστό: *Πρόκειται για εργασίες Σεπτεμβρίου.*

Μελισσοκομικά προϊόντα

5. Το μέλι έχει γενικά βασικό pH.

   Σωστό: Οξινο pH.

Τυποποίηση και εμπορία μελισσοκομικών προϊόντων

1. Οι μελισσοκομικοί συνεταιρισμοί είναι οργανώσεις συνδικαλιστικής μορφής, ενώ οι σύλλογοι οργανώσεις εμπορικής μορφής.

   Σωστό: Οι μελισσοκομικοί συνεταιρισμοί είναι οργανώσεις εμπορικής μορφής, ενώ οι σύλλογοι οργανώσεις συνδικαλιστικής μορφής.

10. Τροφοδότηση με γύρη γίνεται σε περιπτώσεις που το μελίσσι κινδυνεύει να χαθεί από πείνα το χειμώνα ή την άνοιξη.

    Σωστό: Τροφοδότηση με μέλι γίνεται σε περιπτώσεις που το μελίσσι κινδυνεύει να χαθεί από πείνα το χειμώνα ή την άνοιξη.

Βιολογική μελισσοκομία

5. Επιτρέπεται η χρησιμοποίηση κηρήθρων που περιέχουν γόνο για εξαγωγή μελιού.

   Σωστό: Απαγορεύεται η χρησιμοποίηση κηρήθρων που περιέχουν γόνο.

Η Φούλβια Σολομωνίδου είναι απόφοιτος της Γεωπονικής Σχολής του Αριστοτελείου Πανεπιστημίου Θεσσαλονίκης.